하루 한 장 60일 집중 완성

교과도형

초2

B3

길이 재기

에듀★히어로
Edu HERO

"진짜 히어로는 우리 아이들입니다!"

에듀히어로는
우리 아이들이 밝고 건강한 내일을 꿈꿀 수 있도록
긍정적이고 효과적인 교육 서비스를 제공하는 것을
최우선 목표로 하고 있습니다.

그 존재만으로도 든든한 히어로처럼 아이들의 곁에서 힘이 되어주고,
나아가 아이들 각자가 스스로의 인생 속 히어로가 될 수 있도록

우리는 진심과 열정을 다해 아이들과 함께 할 것을 약속 드립니다.

☕ 네이버 카페

교재 상세 소개와 진단 테스트
및 유용하게 풀 수 있는
학습 자료를 다운로드 해 보세요.

📷 인스타그램

에듀히어로 인스타그램을
팔로우하시면 다양한 이벤트와
신간 소식을 빠르게 만나보실
수 있습니다.

TALK 카카오톡 채널

자녀 수학 공부 상담 및
자유로운 질문을 남겨 주세요.
함께 고민하고
답변해 드리겠습니다.

히어로컨텐츠 HEROCONTENTS

발행일: 2024년 1월   **발행인:** 이예찬

기획개발: 두줄수학연구소

디자인: 4BD STUDIO   **삽화:** 1000DAY

발행처: 히어로컨텐츠

주소: 서울특별시 금천구 서부샛길 632, 7층(대륭테크노타운5차)

전화: 02-862-2220   **팩스:** 02-862-2227

지원카페: cafe.naver.com/eduherocafe   **인스타그램:** @edu__hero

하루 한 장 60일 집중 완성 교과도형은

달라진 교과서와 학교 수업 진도에 맞추어 학습자가 체계적으로 도형을 학습할 수 있도록 안내합니다.

이전의 도형 학습이 도형의 정의와 성질을 외우고, 도형의 측정결과를 계산하는 '결과' 중심의 학습이었다면 지금의 도형 학습은 공간에 대한 이해와 해석(공간감각)을 바탕으로 모양을 인식하고 변화를 유추하고 다양한 방법으로 도형을 측정하고 그 결과를 표현하는 '과정' 중심의 학습입니다.

교과도형은 수학교육의 변화와 핵심을 이해하고 올바른 방향을 제시해 주는 든든한 길잡이가 될 것입니다.

하루 한 장 60일 집중 완성 교과도형은

① 공간감각 ② 도형표현 ③ 도형측정을 중심으로 교과서에서 다루는 모든 도형을 체계적으로 학습합니다.

공간감각

도형을 효과적으로 학습하기 위해서는 공간을 이해하고 해석하는 능력, 즉 '공간감각'이 필요합니다.

공간감각은 경험과 상상력을 바탕으로 머릿속에서 도형을 조작하고 결과를 유추하는 능력입니다. 공간감각은 단시간에 길러지지 않으므로 어릴 때부터 꾸준하게 학습하고 구체적인 경험을 쌓는 것이 중요합니다.

'교과도형'의 각 권 마지막에 있는 '도형플러스'는 각 권의 학습목표와 연계하여 공간감각을 한 단계 더 높여줄 수 있는 내용으로 구성하였습니다.

도형표현

공간에 존재하는 도형은 표현되었을 때 더 큰 의미를 가집니다.

- 삼각형을 찾는 것에서 그치지 않고 다양한 삼각형을 직접 그려 보고 왜 삼각형인지 설명하는 것
- 쌓기나무로 만든 모양을 위치와 방향을 이용하여 설명하는 것
- 도형을 여러 가지 기준과 특징에 따라 분류하고 왜 그렇게 분류했는지 설명하는 것
- 도형을 위·앞·옆에서 바라보고 그 모습을 그림으로 표현하는 것 등이 모두 '도형표현'입니다.

'교과도형'은 도형과 관련한 작은 그림에서부터 서술형 문장제까지 도형을 표현하는 다양한 방법을 효과적으로 학습합니다.

도형측정

측정은 도형과 아주 밀접한 관계가 있으므로 도형을 학습하면서 반드시 함께 다루어야 하는 영역입니다.

길이, 각도, 둘레, 넓이, 부피 등 흔히 '도형' 영역이라 생각하는 것이 사실 초등 교육과정에서는 '측정' 영역에 해당합니다. 사각형을 학습하는 것은 도형이지만 사각형의 둘레와 넓이를 구하는 것은 측정입니다. 각의 종류를 학습하는 것은 도형이지만 각도를 재는 것은 측정입니다. 이처럼 길이, 각도, 둘레, 넓이, 부피 등은 결국 도형을 측정하는 것입니다.

'교과도형'은 교과서의 모든 '도형' 영역을 다루었습니다. 여기에 도형과 반드시 연계하여 학습해야 하는 '측정' 영역을 추가로 다루어 더욱 완성된 도형 학습을 할 수 있도록 도와줍니다.

하루 한 장 60일 집중 완성 교과도형은

7세부터 6학년까지 총 7단계 21권(단계별 3권)으로 구성되어 있으며 각 권은 매일 한 장씩 4주간 체계적으로 학습할 수 있습니다.

| 1권, 20일 | 2권, 20일 | 3권, 20일 |

대 상	단 계	구 성
7세 ~ 1학년	P	P1, P2, P3
1학년	A	A1, A2, A3
2학년	B	B1, B2, B3
3학년	C	C1, C2, C3
4학년	D	D1, D2, D3
5학년	E	E1, E2, E3
6학년	F	F1, F2, F3

교과도형의 각 단계는 1, 2, 3권을 차례대로 학습합니다.

교과도형, 한 권이면 충분합니다

교과도형은 공간감각, 도형표현, 도형측정을 중심으로 교과서에서 다루는 모든 도형을 학습하고,
공간감각 향상을 위한 '도형플러스'와 학습 결과를 확인하는 '형성평가'를 제공합니다.

1 주차별 학습

공간감각

도형 학습의 바탕이 되는 공간감각을 길러줍니다.

[체크 박스]
문제를 해결하는 데 도움이 되는 정보를 제공합니다.

도형표현

다양한 그림과 문장제로 도형을 표현하는 방법을 배웁니다.

도형측정

도형 학습에 필수적인 측정을 도형과 연계하여 학습합니다.

[개념 포인트]
학습할 때 꼭 필요한 기본 개념을 설명합니다.

2 도형플러스

각 권의 학습 주제와 연계하여 공간감각을 더욱 향상시킵니다.

3 형성평가

학습한 내용을 다시 한 번 복습하고 정리합니다.

이 책의 차례

1주차
41~45일

여러 가지 단위

길이를 재는 단위

💬 길이를 잴 때 사용할 수 있는 단위 중에 가장 긴 것에 ◯표, 가장 짧은 것에 △표 하세요.

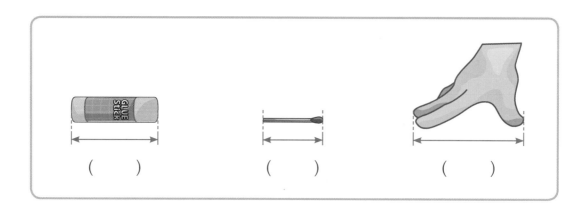

    (   )   (   )   (   )

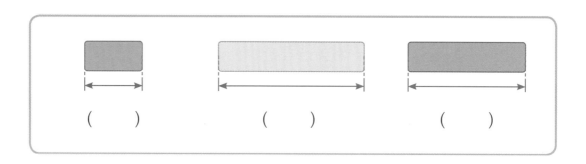

    (   )   (   )   (   )

길이를 재는 단위

여러 가지 단위로 길이를 잴 수 있습니다.

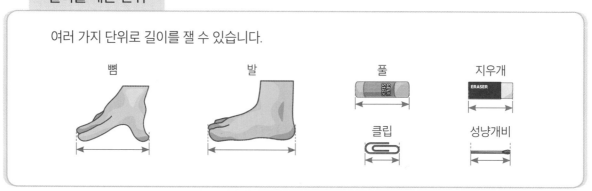

뼘   발   풀   지우개

클립   성냥개비

길이를 잴 때 사용할 수 있는 단위입니다. 가장 짧은 것부터 차례로 기호를 써 보세요.

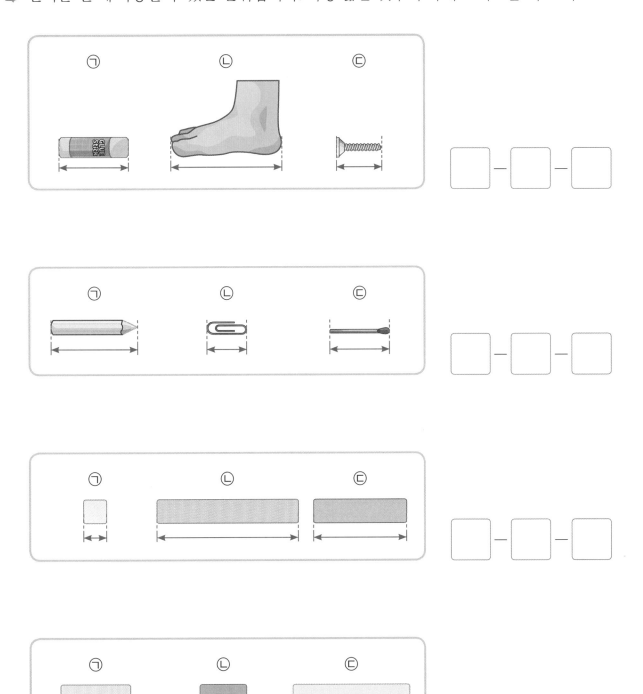

물건의 길이는 각 단위로 몇 번인지 빈칸에 알맞은 수를 써넣으세요.

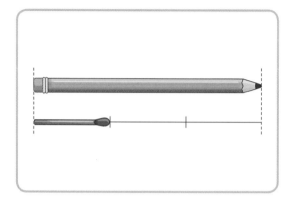

연필의 길이: 성냥개비로 ☐ 번

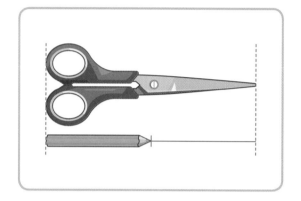

가위의 길이: 색연필로 ☐ 번

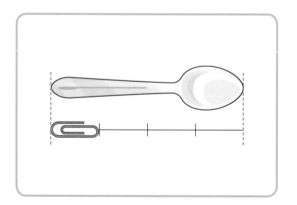

숟가락의 길이: 클립으로 ☐ 번

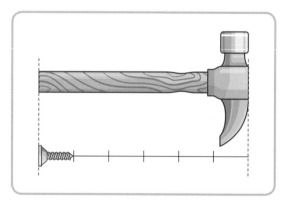

망치의 길이: 못으로 ☐ 번

🆄 물건의 길이는 각 단위로 몇 번인지 빈칸에 알맞은 수를 써넣으세요.

젓가락의 길이

포크로 [ ] 번

성냥개비로 [ ] 번

0 단위가 달라지면 길이를 재는 횟수도 달라집니다.

리코더의 길이

풀로 [ ] 번

크레파스로 [ ] 번

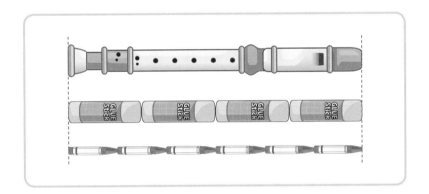

파의 길이

뼘으로 [ ] 번

숟가락으로 [ ] 번

43일 더 적은 횟수로 재기

🗨 주어진 길이를 재는 데 더 적은 횟수로 잴 수 있는 단위에 ◯표 하세요.

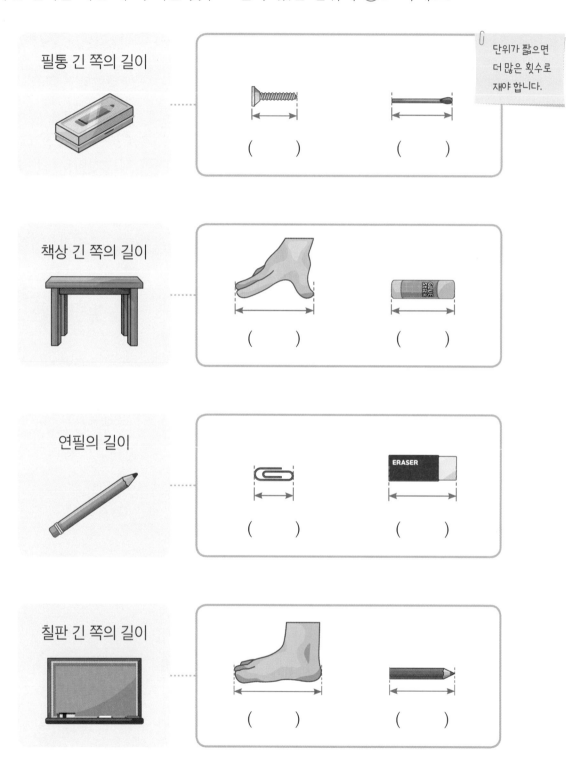

단위가 짧으면 더 많은 횟수로 재야 합니다.

필통 긴 쪽의 길이

(   )   (   )

책상 긴 쪽의 길이

(   )   (   )

연필의 길이

(   )   (   )

칠판 긴 쪽의 길이

(   )   (   )

막대의 길이를 재려고 합니다. 가장 적은 횟수로 잴 수 있는 단위에 ○표, 가장 많은 횟수로 잴 수 있는 단위에 △표 하세요.

갈색 막대의 길이

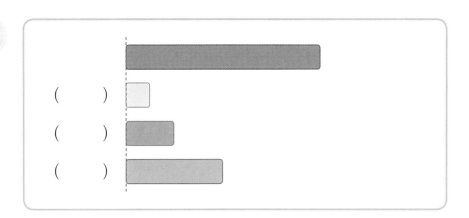

파란색 막대의 길이

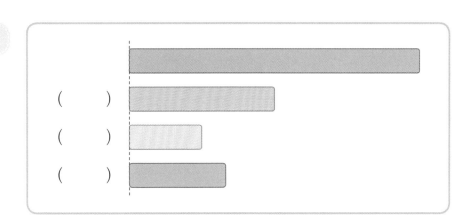

주황색 막대의 길이

같은 단위로 재기

💬 클립을 가장 길게 연결한 것에 ◯표, 가장 짧게 연결한 것에 △표 하세요.

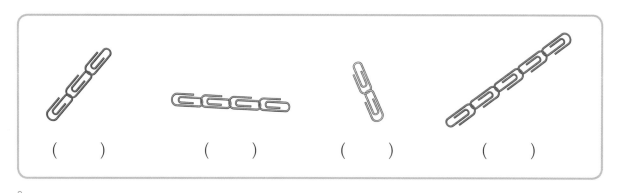

( )　　　　( )　　　　( )　　　　( )

길이가 같은 클립을 연결했습니다.

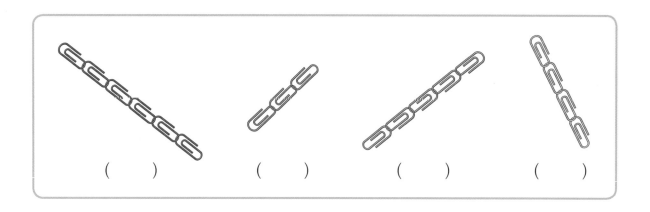

( )　　　　( )　　　　( )　　　　( )

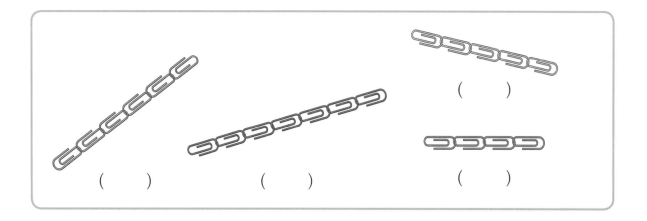

( )　　　　( )　　　　( )

ⓝ 물음에 답하세요.

연필의 길이는 지우개로 **4**번, 가위의 길이는 지우개로 **6**번이라면 연필과 가위 중 길이가 더 긴 것은 무엇일까요?

(   )

붓의 길이는 클립으로 **8**번, 칫솔의 길이는 클립으로 **7**번입니다. 붓과 칫솔 중 길이가 더 짧은 것은 무엇일까요?

(   )

민석이가 뼘으로 길이를 잽니다. 민석이의 뼘으로 우산은 **6**번, 바지는 **5**번, 지팡이는 **6**번보다 조금 짧았습니다. 길이가 가장 긴 것은 무엇일까요?

(   )

풀로 길이를 잽니다. 풀로 젓가락은 **5**번, 포크는 **4**번, 숟가락은 **4**번보다 조금 길었습니다. 길이가 가장 짧은 것은 무엇일까요?

(   )

45일 다른 단위로 재기

길이가 가장 긴 막대에 ◯표, 가장 짧은 막대에 △표 하세요.

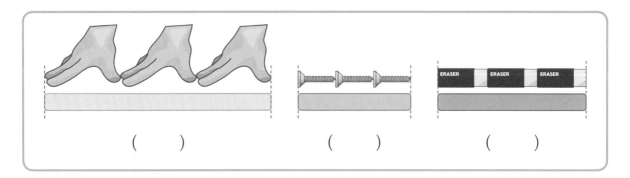

(   )   (   )   (   )

> 같은 횟수로 잴 때 단위가 길수록 더 긴 길이를 잴 수 있습니다.

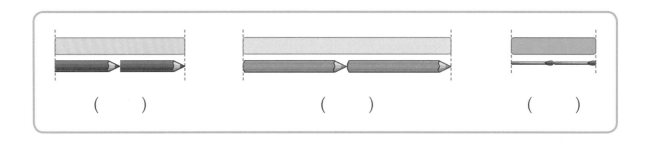

(   )   (   )   (   )

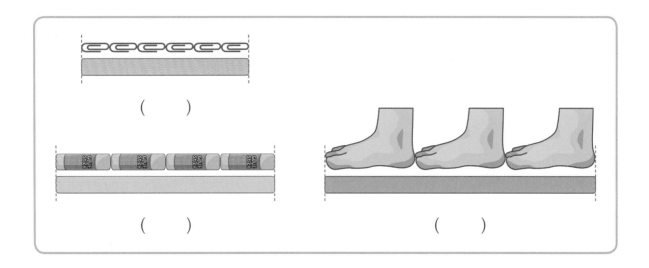

(   )

(   )   (   )

🔊 길이가 가장 긴 것에 ◯표 하세요.

뼘으로 2번 ⸺⸺ (　　　)

한 팔로 2번 ⸺⸺ (　　　)

양팔로 2번 ⸺⸺ (　　　)

젓가락으로 5번 ⸺⸺ (　　　)

클립으로 5번 ⸺⸺ (　　　)

풀로 5번 ⸺⸺ (　　　)

지우개로 4번 ⸺⸺ (　　　)

한 걸음으로 4번 ⸺⸺ (　　　)

뼘으로 4번 ⸺⸺ (　　　)

클립으로 3번 ⸺⸺ (　　　)

뼘으로 5번 ⸺⸺ (　　　)

크레파스로 4번 ⸺⸺ (　　　)

> 단위 하나의 실제 길이를 어림합니다.

클립으로 6번 ⸺⸺⸺⸺ (　　　)

교과도형 책의 짧은 쪽으로 3번 ⸺ (　　　)

교과도형 책의 긴 쪽으로 4번 ⸺ (　　　)

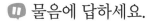

💬 물음에 답하세요.

민지와 연수가 뼘으로 책상 긴 쪽의 길이를 재었습니다. 한 뼘의 길이가 더 긴 사람은 누구일까요?

책상 긴 쪽의 길이

민지의 뼘	연수의 뼘
10번	9번

(   )

수호, 다희, 인규가 각자 가진 연필로 줄넘기의 길이를 재었습니다. 가장 짧은 연필을 가지고 있는 사람은 누구일까요?

줄넘기의 길이

수호의 연필	다희의 연필	인규의 연필
8번	13번	11번

(   )

센티미터

📙 주어진 길이를 쓰고 읽어 보세요.

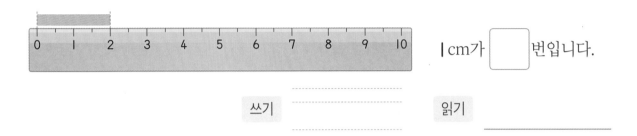

1cm가 ☐ 번입니다.

쓰기 .... 읽기 _____

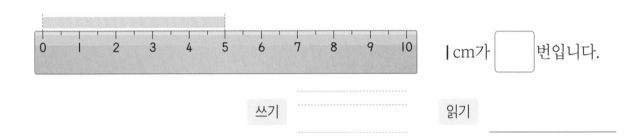

1cm가 ☐ 번입니다.

쓰기 .... 읽기 _____

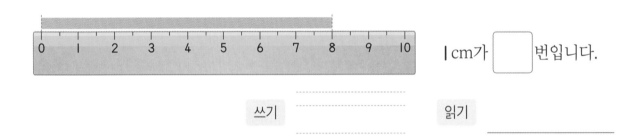

1cm가 ☐ 번입니다.

쓰기 .... 읽기 _____

한 칸은 1cm입니다. 왼쪽 끝부터 시작하여 주어진 길이만큼 선을 그어 보세요.

1cm

3cm

4cm

7cm

9cm

6cm

10cm

자로 길이 재기 (1)

🔘 자로 길이를 재었습니다. 빈칸에 알맞은 수를 써넣으세요.

[ ] cm

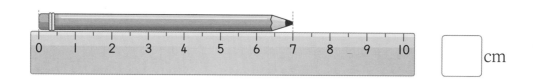

[ ] cm

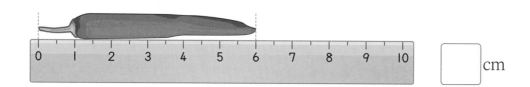

[ ] cm

자로 길이 재기 (1)

막대의 한쪽 끝을 자의 눈금 **0**에 맞춘 다음, 다른 쪽 끝에 있는 자의 눈금을 읽습니다.

➡ 막대의 길이는 **3**cm입니다.

[길이를 잘못 재는 예]

눈금에 정확히 맞추어야 합니다.

(×)

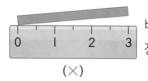

비스듬하게 재면 길이를 정확하게 잴 수 없습니다.

(×)

⑪ 빈칸에 알맞은 수를 써넣으세요.

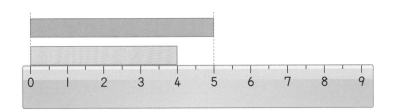

빨간색 막대는 초록색 막대보다

◻cm 더 깁니다.

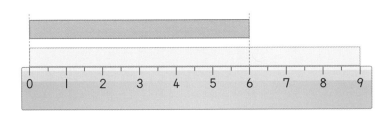

노란색 막대는 파란색 막대보다

◻cm 더 깁니다.

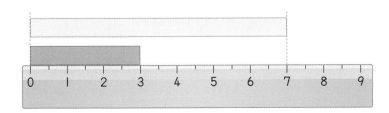

노란색 막대는 빨간색 막대보다

◻cm 더 깁니다.

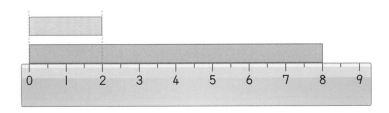

파란색 막대는 초록색 막대보다

◻cm 더 깁니다.

자로 길이 재기 (2)

🔢 자로 길이를 재었습니다. 빈칸에 알맞은 수를 써넣으세요.

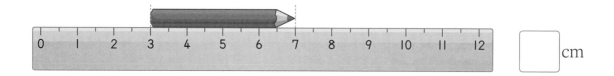 cm

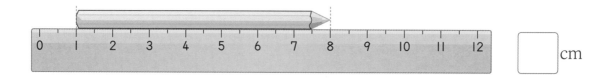 cm

 cm

 cm

자로 길이 재기 (2)

막대의 한쪽 끝을 자의 한 눈금에 맞춘 다음, 그 눈금에서 다른 쪽 끝까지 1cm가 몇 번 들어가는지 셉니다.

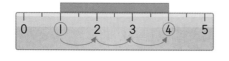 ➡ 1cm가 **3**번 들어가므로
막대의 길이는 **3**cm입니다.

더 긴 막대에 ◯표 하세요.

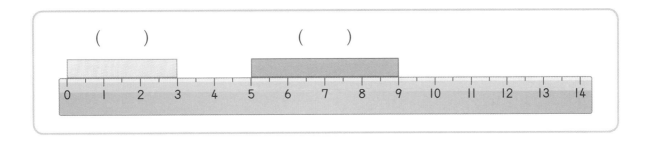

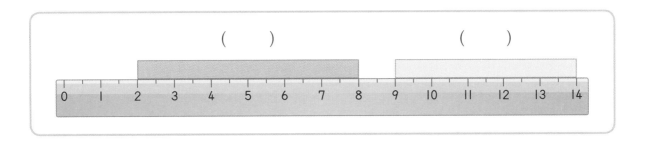

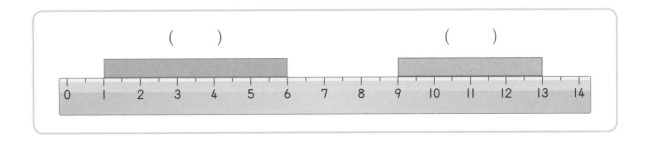

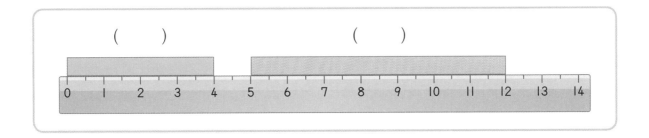

약 몇 cm (1)

🔊 자로 길이를 재었습니다. 약을 붙여 길이를 나타내어 보세요.

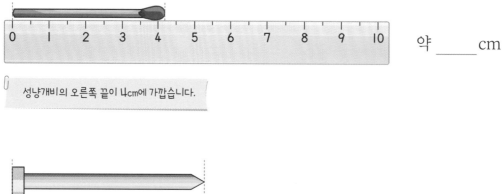

약 _____ cm

성냥개비의 오른쪽 끝이 4cm에 가깝습니다.

_____ cm

_____ cm

눈금 사이의 길이

길이가 자의 눈금 사이에 있을 때는 가까이에 있는 숫자를 읽으며, 숫자 앞에 약을 붙입니다.

➡ 3cm에 가깝기 때문에 약 3cm입니다.

➡ 4cm에 가깝기 때문에 약 4cm입니다.

길이에 맞는 막대에 모두 ◯표 하세요.

약 **5**cm

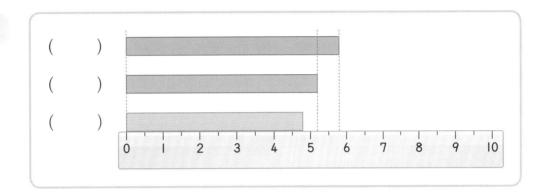

약 **6**cm

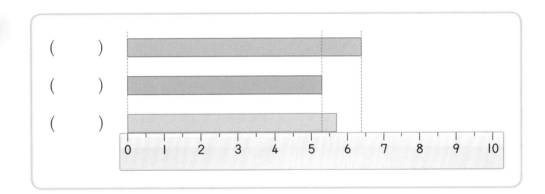

약 **7**cm

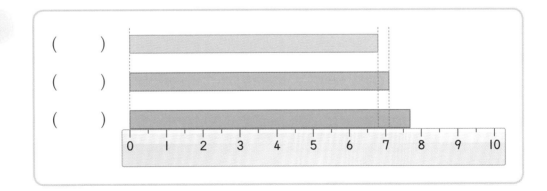

약 몇 cm (2)

💬 자로 길이를 재었습니다. 약을 붙여 길이를 나타내어 보세요.

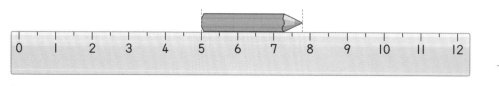

_____ cm

🔖 자의 눈금 위에 있는 한쪽 끝부터 길이를 잽니다.

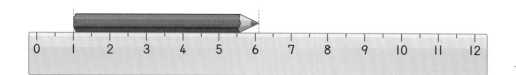

_____ cm

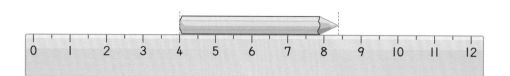

_____ cm

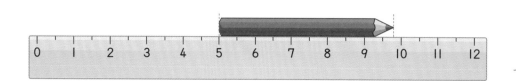

_____ cm

_____ cm

⑪ 알맞게 이어 보세요.

 •

• 약 3 cm

 •

• 약 4 cm

 •

• 약 5 cm

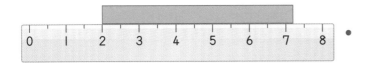 •

• 약 6 cm

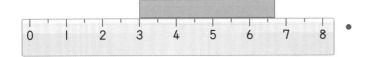 •

• 약 4 cm

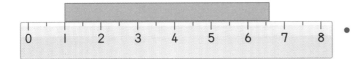 •

• 약 5 cm

길이에 맞는 막대에 모두 색칠해 보세요.

약 2cm

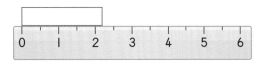
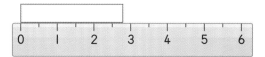

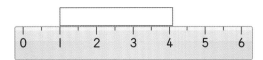
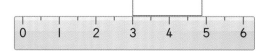

약 3cm

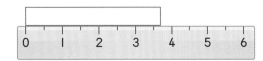
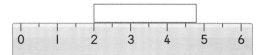

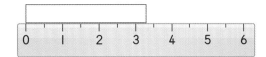

약 4cm

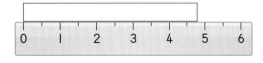
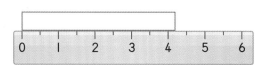

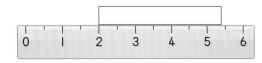
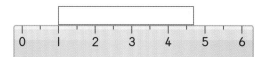

3주차
51~55일

길이 구하기

51일 연결된 막대의 길이

🔊 색깔별로 막대의 길이가 다음과 같습니다. 빈칸에 알맞은 수를 써넣으세요.

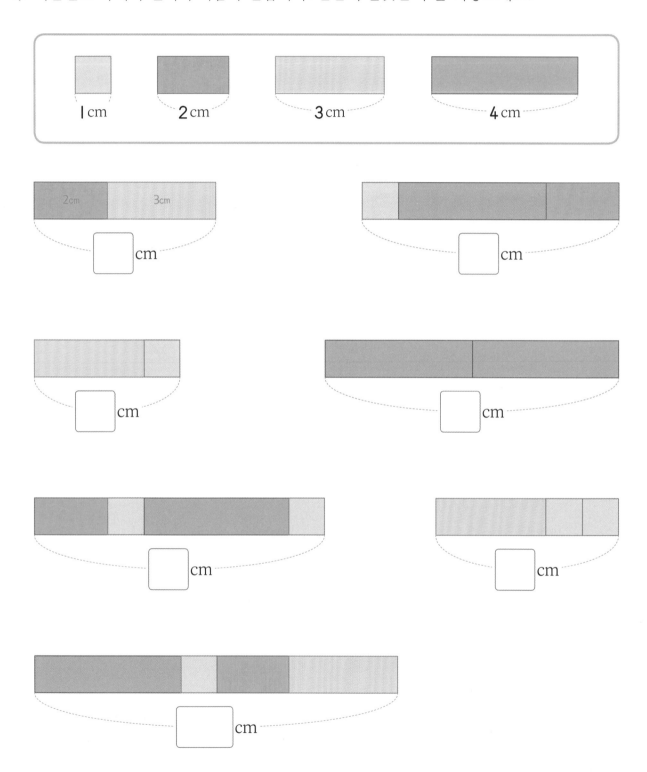

색깔별로 막대의 길이가 다음과 같습니다. 빈칸에 알맞은 수를 써넣으세요.

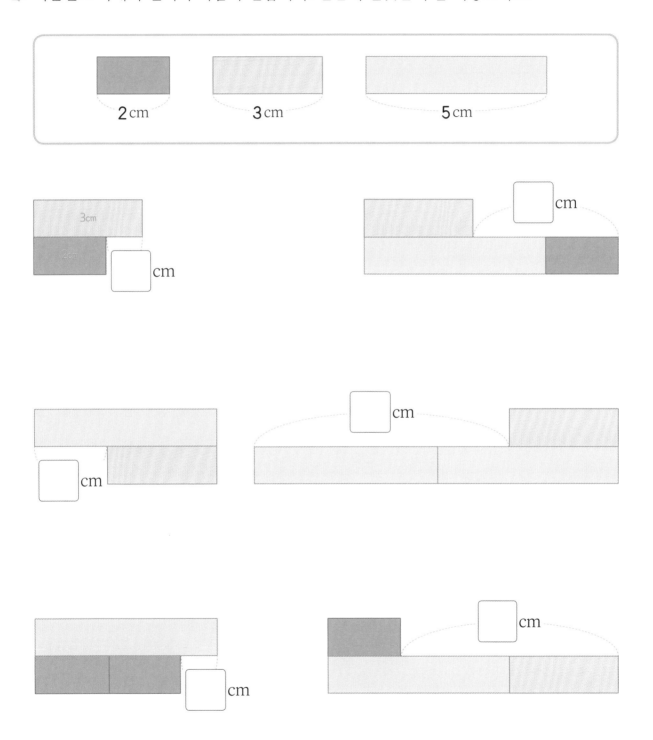

💬 1cm, 2cm, 3cm 막대가 있습니다. 이 막대들을 여러 번 사용하여 여러 가지 방법으로 주어진 길이를 만듭니다. 선을 그어 길이를 표시해 보세요.

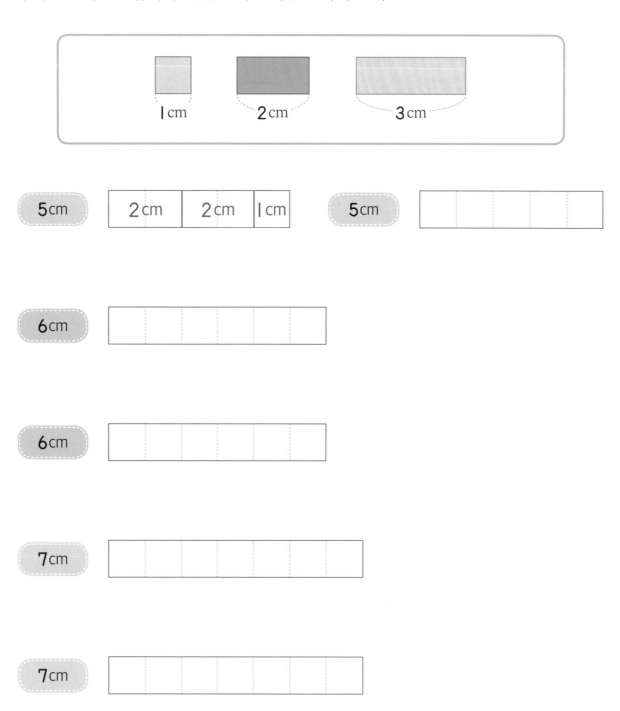

😊 2 cm, 3 cm, 4 cm 막대가 있습니다. 이 막대들을 여러 번 사용하여 여러 가지 방법으로 주어진 길이를 만듭니다. 선을 그어 길이를 표시해 보세요.

| 2 cm | 3 cm | 4 cm |

8 cm

8 cm

10 cm

10 cm

10 cm

53일 1cm 격자판

💬 한 칸이 1cm인 격자판에 물건을 놓았습니다. 빈칸에 알맞은 수를 써넣으세요.

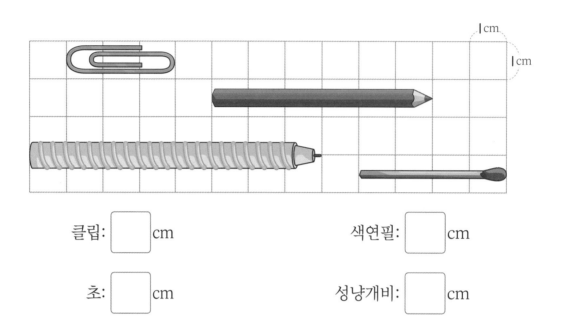

클립: ☐ cm

색연필: ☐ cm

초: ☐ cm

성냥개비: ☐ cm

못: ☐ cm

숟가락: ☐ cm

연필: ☐ cm

크레파스: ☐ cm

1 한 칸이 1cm인 격자판에 막대를 놓았습니다. 물음에 답하세요.

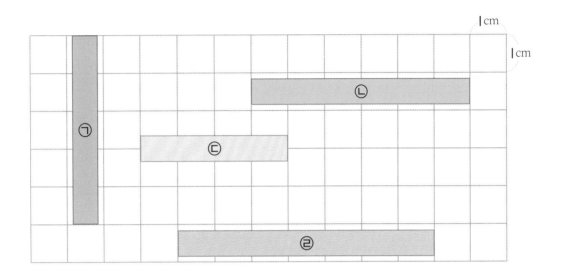

길이가 5cm인 막대의 기호를 써 보세요. (   )

길이가 가장 짧은 막대의 기호를 써 보세요. (   )

길이가 가장 긴 막대의 기호를 써 보세요. (   )

꺾인 선의 길이

❶ 한 칸이 1 cm인 격자판을 달팽이가 빨간색 선을 따라 이동했습니다. 달팽이가 이동한 선의 길이를 구해 보세요.

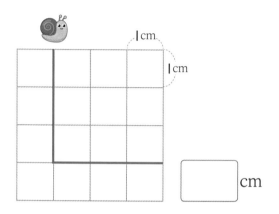

cm

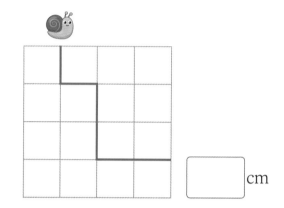

cm

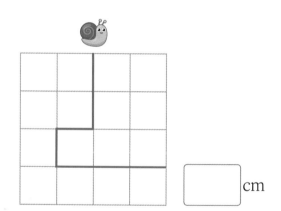

cm

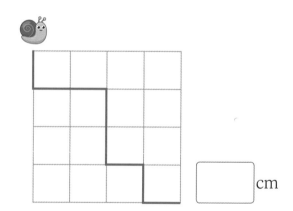

cm

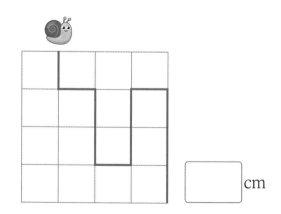

cm

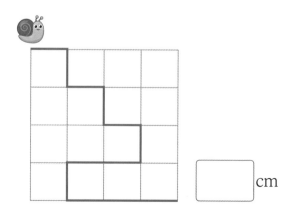

cm

11 한 칸이 |cm인 격자판입니다. 가장 긴 선부터 차례로 기호를 써 보세요.

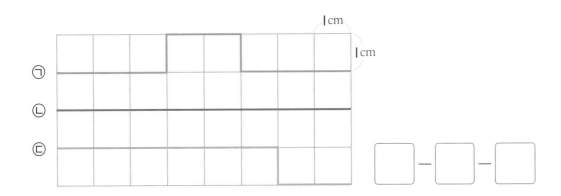

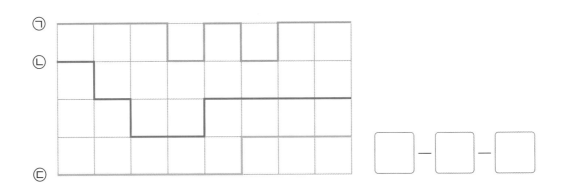

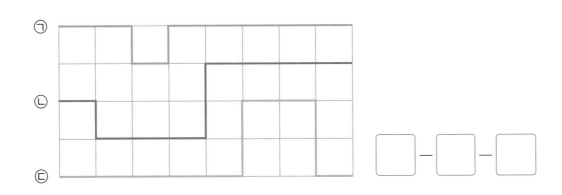

🏁 한 칸이 1cm인 격자판에 출발부터 주어진 방향과 길이만큼 순서대로 선을 그어 보세요.

① 아래쪽으로 2cm
② 오른쪽으로 5cm
③ 위쪽으로 2cm

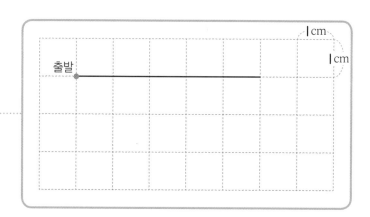

① 오른쪽으로 4cm
② 위쪽으로 3cm
③ 왼쪽으로 4cm
④ 아래쪽으로 3cm

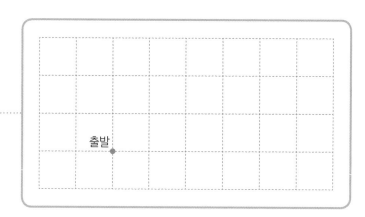

① 아래쪽으로 1cm
② 왼쪽으로 5cm
③ 위쪽으로 3cm
④ 오른쪽으로 3cm
⑤ 아래쪽으로 2cm

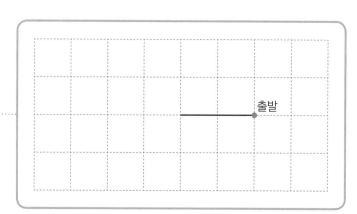

한 칸이 1cm인 격자판에 출발부터 주어진 방향과 길이만큼 순서대로 선을 그어 보세요.

① 오른쪽으로 4cm

② 아래쪽으로 4cm

③ 왼쪽으로 2cm

④ 위쪽으로 1cm

⑤ 왼쪽으로 2cm

⑥ 위쪽으로 3cm

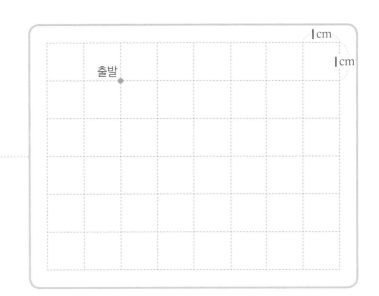

① 왼쪽으로 2cm

② 아래쪽으로 2cm

③ 왼쪽으로 4cm

④ 아래쪽으로 2cm

⑤ 오른쪽으로 6cm

⑥ 위쪽으로 4cm

11 한 칸이 1cm인 격자판에 출발부터 주어진 순서대로 선을 그었습니다. 빈칸에 알맞은 말 또는 수를 써넣으세요.

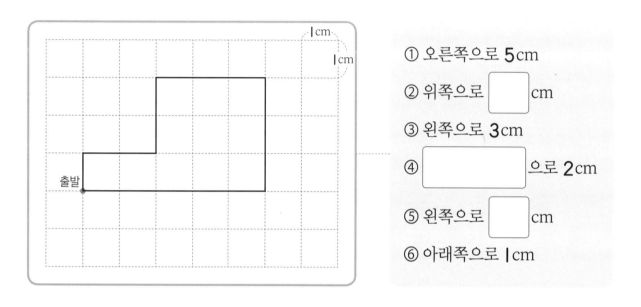

1cm
1cm

① 오른쪽으로 5cm

② 위쪽으로 ☐ cm

③ 왼쪽으로 3cm

④ ☐ 으로 2cm

⑤ 왼쪽으로 ☐ cm

⑥ 아래쪽으로 1cm

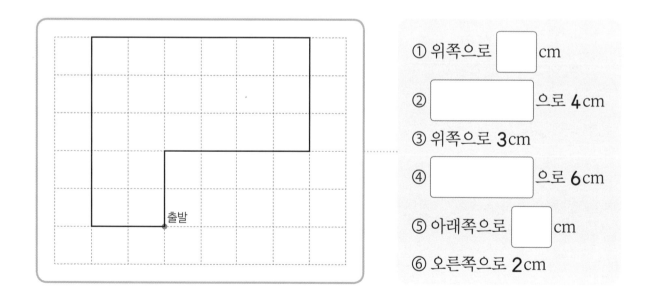

① 위쪽으로 ☐ cm

② ☐ 으로 4cm

③ 위쪽으로 3cm

④ ☐ 으로 6cm

⑤ 아래쪽으로 ☐ cm

⑥ 오른쪽으로 2cm

4주차

56~60일

미터

🎵 길이를 m로 나타내고, 읽어 보세요.

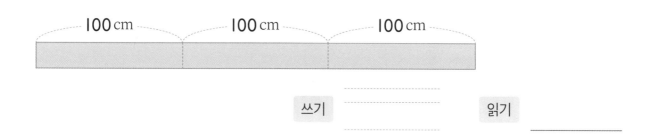

쓰기   읽기 _____

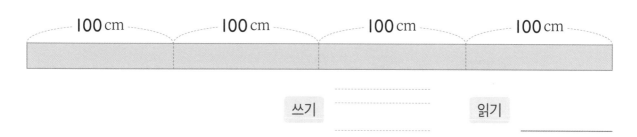

쓰기   읽기 _____

쓰기   읽기 _____

100cm = 1m

100cm는 1m와 같습니다. 1m는 1 미터라고 읽습니다.

$$100 \text{ cm} = 1 \text{ m}$$

쓰기 **1 m**   읽기 1 미터

1m가 2번이면 2m입니다.

쓰기 **2 m**   읽기 2 미터

빈칸에 알맞은 수를 써넣으세요.

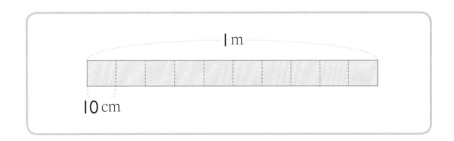

100 cm는 [ ] m입니다.

1 m는 10 cm를 [ ] 번

이은 것입니다.

1 m는 1 cm를 [ ] 번

이은 것입니다.

1 m는 50 cm를 [ ] 번

이은 것입니다.

5 m는 1 m를 [ ] 번

이은 것입니다.

7 m는 1 m를 [ ] 번

이은 것입니다.

💬 길이를 몇 m 몇 cm로 나타내고, 읽어 보세요.

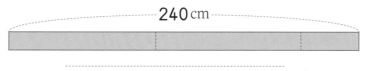

쓰기 .... 읽기

_____

쓰기 .... 읽기

_____

쓰기 .... 읽기

_____

|m보다 긴 길이

|30cm는 |m보다 30cm 더 깁니다.
|30cm는 |m 30cm라고도 씁니다.
|m 30cm를 | 미터 30 센티미터라고 읽습니다.

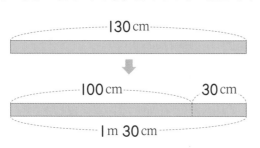

|03cm는 |m보다 3cm 더 깁니다.
|03cm는 |m 3cm라고도 씁니다.
|m 3cm를 | 미터 3 센티미터라고 읽습니다.

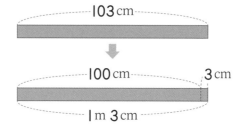

빈칸에 알맞은 수를 써넣으세요.

방문의 높이는 □ m □ cm입니다.

줄넘기의 길이는 □ m □ cm입니다.

어린이의 키는 □ m □ cm입니다.

화분의 높이는 □ m □ cm입니다.

두 가지로 나타내기

🔘 빈칸에 알맞은 수를 써넣으세요.

1 m = ☐ cm

4 m = ☐ cm

1 m 50 cm = ☐ cm

2 m 42 cm = ☐ cm

5 m 8 cm = ☐ cm

3 m 90 cm = ☐ cm

7 m 5 cm = ☐ cm

170 cm = ☐ m ☐ cm

315 cm = ☐ m ☐ cm

501 cm = ☐ m ☐ cm

230 cm = ☐ m ☐ cm

972 cm = ☐ m ☐ cm

407 cm = ☐ m ☐ cm

199 cm = ☐ m ☐ cm

☑ 같은 길이를 찾아 이어 보세요.

1 m 50 cm •		• 135 cm
1 m 5 cm •		• 150 cm
1 m 35 cm •		• 105 cm

332 cm •		• 3 m 23 cm
323 cm •		• 3 m 20 cm
320 cm •		• 3 m 32 cm

4 m 77 cm •		• 470 cm
4 m 70 cm •		• 477 cm
4 m 7 cm •		• 407 cm

💬 실제 길이를 어림하여 길이를 나타내는 데 적절한 길이 단위에 ◯표 하세요.

연필의 길이

(cm , m)

길이가 너무 길면 cm 단위로 재기 힘듭니다.

기차의 길이

(cm , m)

학교 건물의 높이

(cm , m)

카드의 길이

(cm , m)

가로등의 높이

(cm , m)

한 뼘의 길이

(cm , m)

💬 cm와 m 중 알맞은 단위를 써 보세요.

오이의 길이는 약 26 ☐ 입니다.

책장의 높이는 약 1 ☐ 입니다.

나무의 높이는 약 15 ☐ 입니다.

주스병의 높이는 약 30 ☐ 입니다.

건물의 높이는 약 20 ☐ 입니다.

바지의 길이는 약 73 ☐ 입니다.

11 가장 긴 길이에 ◯표, 가장 짧은 길이에 △표 하세요.

1 m 5 cm	90 cm	1 m

단위를 한 가지로 나타냅니다.

3 m 99 cm	400 cm	4 m 10 cm

2 m 30 cm	240 cm	2 m 10 cm

5 m 7 cm	5 m 70 cm	565 cm

683 cm	6 m 38 cm	608 cm

 가장 긴 길이부터 차례로 기호를 써 보세요.

① 2 m 95 cm

ⓒ 395 cm

ⓒ 3 m 5 cm

☐ - ☐ - ☐

① 180 cm

ⓒ 1 m 58 cm

ⓒ 185 cm

☐ - ☐ - ☐

① 4 m 30 cm

ⓒ 403 cm

ⓒ 4 m 13 cm

☐ - ☐ - ☐

① 590 cm

ⓒ 6 m 60 cm

ⓒ 710 cm

☐ - ☐ - ☐

① 8 m 20 cm

ⓒ 837 cm

ⓒ 8 m 8 cm

☐ - ☐ - ☐

① 292 cm

ⓒ 2 m 90 cm

ⓒ 229 cm

☐ - ☐ - ☐

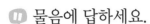

11 물음에 답하세요.

친구들의 키를 재었습니다. 키가 가장 큰 사람은 누구일까요?

- 지수: 내 키는 1 m 8 cm야.
- 하준: 내 키는 132 cm야.
- 연아: 내 키는 1 m 20 cm야.

(   )

높이를 재었습니다. 높이가 가장 낮은 것은 무엇일까요?

가로등	전봇대	감나무
6 m 50 cm	8 m	520 cm

(   )

도형 플러스+

- 어림하기 -

cm 어림하기

▶ 자를 이용하지 않고 막대의 길이를 어림해 보세요.

1 cm	
5 cm	
10 cm	

☐ cm

☐ cm

☐ cm

☐ cm

☐ cm

☐ cm

● 자를 이용하지 않고 주어진 길이만큼 선을 그은 다음, 자로 그어 확인해 보세요.

l cm

어림하여 긋기

자로 긋기

3 cm

어림하여 긋기

자로 긋기

10 cm

어림하여 긋기

자로 긋기

PLUS 2 **실제 길이에 가까운 것**

실제 길이에 가까운 것을 찾아 이어 보세요.

당근의 길이

•

•

5 cm

서랍장의 높이

•

•

20 cm

못의 길이

•

•

50 cm

교실 칠판 긴 쪽의 길이

•

•

1 m

책상 긴 쪽의 길이

•

•

100 m

축구장 긴 쪽의 길이

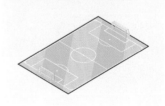

•

•

3 m

◉ 알맞은 것의 기호를 모두 써 보세요.

길이가 10 cm보다 짧은 것

> ㉠ 엄지손가락의 길이   ㉡ 한 팔의 길이
>
> ㉢ 필통 긴 쪽의 길이   ㉣ 클립의 길이
>
> ㉤ 단추의 길이   ㉥ 우산의 길이

(　　　　　　)

길이가 1 m보다 긴 것

> ㉠ 한 뼘의 길이   ㉡ 교실 문의 높이
>
> ㉢ 가로등의 높이   ㉣ 숟가락의 길이
>
> ㉤ 농구 선수의 키   ㉥ 신발의 길이

(　　　　　　)

길이가 5 m보다 긴 것

> ㉠ 학교 운동장 짧은 쪽의 길이   ㉡ 양팔을 벌린 길이
>
> ㉢ 냉장고의 높이   ㉣ 책상의 높이
>
> ㉤ 5층 건물의 높이   ㉥ 기차의 길이

(　　　　　　)

▶ 빈칸에 알맞은 수를 써넣으세요.

| 2 | 5 | 20 | 130 | 200 |

방문의 높이는 약 [ ] m입니다.

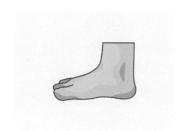

한 발의 길이는 약 [ ] cm입니다.

2학년인 주은이의 키는 약 [ ] cm입니다.

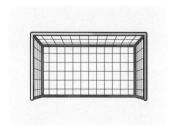

축구 골대 긴 쪽의 길이는 약 [ ] m입니다.

▶ 알맞은 길이를 골라 문장을 완성해 보세요.

| 15 cm | 50 cm | 5 m | 70 m |

한 팔의 길이는 약 [   ] 입니다.

운동장 긴 쪽의 길이는 약 [   ] 입니다.

칫솔의 길이는 약 [   ] 입니다.

| 3 cm | 30 cm | 3 m | 10 m |

건물 한 층의 높이는 약 [   ] 입니다.

클립의 길이는 약 [   ] 입니다.

버스의 길이는 약 [   ] 입니다.

memo

형성평가

1 연필의 길이는 클립으로 몇 번일까요?

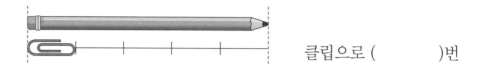

클립으로 (   )번

2 막대의 길이는 몇 cm일까요?

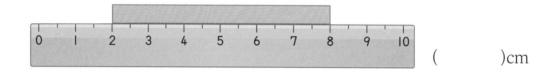

(   )cm

3 길이에 맞는 막대에 ○표 하세요.

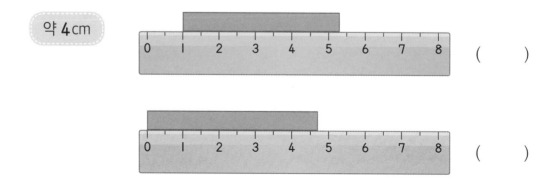

약 4 cm

(   )

(   )

4 실제 길이를 어림하여 cm와 m 중 알맞은 단위를 써 보세요.

> 한 팔의 길이는 약 50 [   ] 입니다.
>
> 기린의 키는 약 5 [   ] 입니다.

5 한 칸이 1cm인 격자판에 빨간색 선으로 사각형을 그렸습니다. 사각형을 그린 선은 몇 cm일까요?

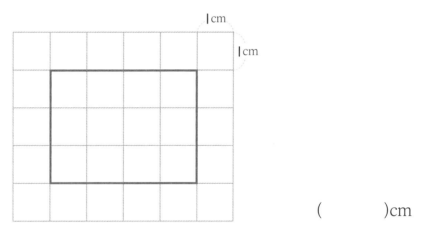

(   )cm

6 준우가 뼘으로 물건의 길이를 재었습니다. 우산은 8뼘, 허리띠는 9뼘이라면 우산과 허리띠 중 더 긴 것은 무엇일까요?

(   )

1 색연필의 길이는 몇 cm일까요?

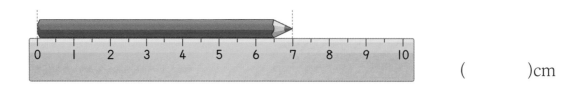

(   )cm

2 빈칸에 알맞은 수를 써넣으세요.

$2\,m\,10\,cm =$ ☐ cm $128\,cm =$ ☐ m ☐ cm

$3\,m\,9\,cm =$ ☐ cm $550\,cm =$ ☐ m ☐ cm

3 한 칸이 1 cm인 격자판에 물건을 놓았습니다. 길이가 가장 짧은 것은 무엇이고, 몇 cm일까요?

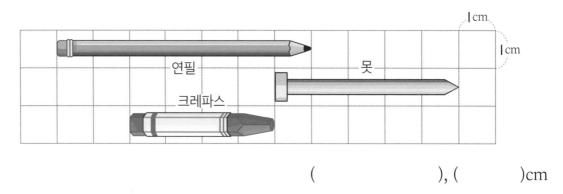

(   ), (   )cm

4 알맞게 이어 보세요.

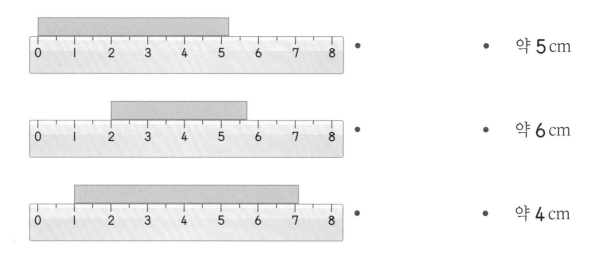

• 약 **5** cm

• 약 **6** cm

• 약 **4** cm

5 가장 긴 길이부터 차례로 기호를 써 보세요.

⊙ **1** m **7** cm   ⓒ **170** cm   ⓒ **90** cm

(,   ,   )

6 세희와 지후가 각자 지우개로 똑같은 필통의 길이를 재었습니다. 세희의 지우개로 **7**번, 지후의 지우개로 **5**번이라면 세희와 지후 중 더 긴 지우개를 가진 사람은 누구일까요?

(   )

memo

하루 한 장 60일 집중 완성

교 고과도형
정답

초2

B3

길이 재기

에듀히어로
Edu HERO

정답

B3
길이 재기

정답

1주차 여러 가지 단위

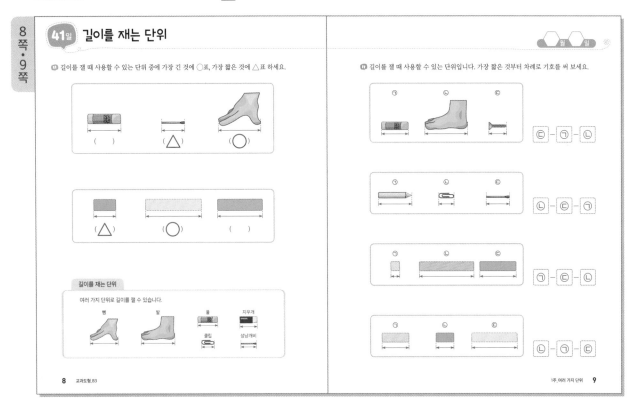

41일 길이를 재는 단위

길이를 잴 때 사용할 수 있는 단위 중에 가장 긴 것에 ○표, 가장 짧은 것에 △표 하세요.

( ) (△) (○)

(△) (○) ( )

길이를 재는 단위

여러 가지 단위로 길이를 잴 수 있습니다.

뼘   발   풀   지우개

클립   성냥개비

길이를 잴 때 사용할 수 있는 단위입니다. 가장 짧은 것부터 차례로 기호를 써 보세요.

ⓒ - ⊙ - ⓛ

ⓛ - ⓒ - ⊙

⊙ - ⓒ - ⓛ

ⓛ - ⊙ - ⓒ

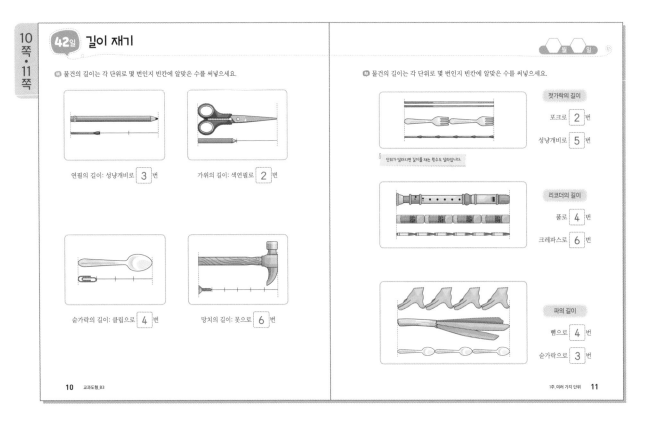

42일 길이 재기

물건의 길이는 각 단위로 몇 번인지 빈칸에 알맞은 수를 써넣으세요.

연필의 길이: 성냥개비로 **3** 번

가위의 길이: 색연필로 **2** 번

숟가락의 길이: 클립으로 **4** 번

망치의 길이: 못으로 **6** 번

물건의 길이는 각 단위로 몇 번인지 빈칸에 알맞은 수를 써넣으세요.

젓가락의 길이

포크로 **2** 번

성냥개비로 **5** 번

단위가 달라지면 길이를 재는 횟수도 달라집니다.

리코더의 길이

풀로 **4** 번

크레파스로 **6** 번

파의 길이

뼘으로 **4** 번

숟가락으로 **3** 번

43일 더 적은 횟수로 재기

주어진 길이를 재는 데 더 적은 횟수로 잴 수 있는 단위에 ○표 하세요.

단위가 짧으면 더 많은 횟수로 재야 합니다.

필통 긴 쪽의 길이

( )   (○)

책상 긴 쪽의 길이

(○)   ( )

연필의 길이

( )   (○)

칠판 긴 쪽의 길이

(○)   ( )

길이를 재는 단위가 길수록 더 적은 횟수로 잴 수 있습니다.

막대의 길이를 재려고 합니다. 가장 적은 횟수로 잴 수 있는 단위에 ○표, 가장 많은 횟수로 잴 수 있는 단위에 △표 하세요.

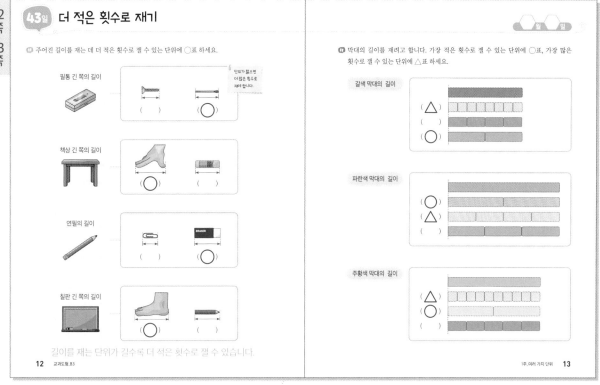

갈색 막대의 길이

(△)
( )
(○)

파란색 막대의 길이

(○)
(△)
( )

주황색 막대의 길이

(△)
(○)
( )

44일 같은 단위로 재기

클립을 가장 길게 연결한 것에 ○표, 가장 짧게 연결한 것에 △표 하세요.

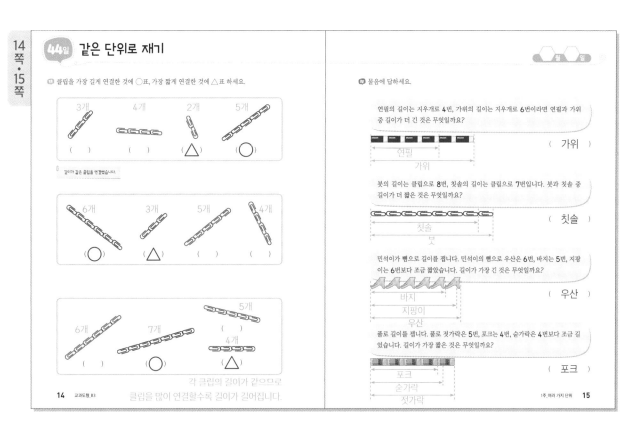

3개   4개   2개   5개

( )   ( )   (△)   (○)

길이가 같은 클립을 연결했습니다.

6개   3개   5개   4개

(○)   (△)   ( )   ( )

6개   7개   5개   4개

( )   (○)   ( )   (△)

각 클립의 길이가 같으므로
클립을 많이 연결할수록 길이가 길어집니다.

물음에 답하세요.

연필의 길이는 지우개로 4번, 가위의 길이는 지우개로 6번이라면 연필과 가위 중 길이가 더 긴 것은 무엇일까요?

연필
가위

(가위)

붓의 길이는 클립으로 8번, 칫솔의 길이는 클립으로 7번입니다. 붓과 칫솔 중 길이가 더 짧은 것은 무엇일까요?

칫솔
붓

(칫솔)

민석이가 뼘으로 길이를 잽니다. 민석이의 뼘으로 우산은 6번, 바지는 5번, 지팡이는 6번보다 조금 짧았습니다. 길이가 가장 긴 것은 무엇일까요?

바지
지팡이
우산

(우산)

풀로 길이를 잽니다. 풀로 젓가락은 5번, 포크는 4번, 숟가락은 4번보다 조금 길었습니다. 길이가 가장 짧은 것은 무엇일까요?

포크
숟가락
젓가락

(포크)

정답

45일 다른 단위로 재기

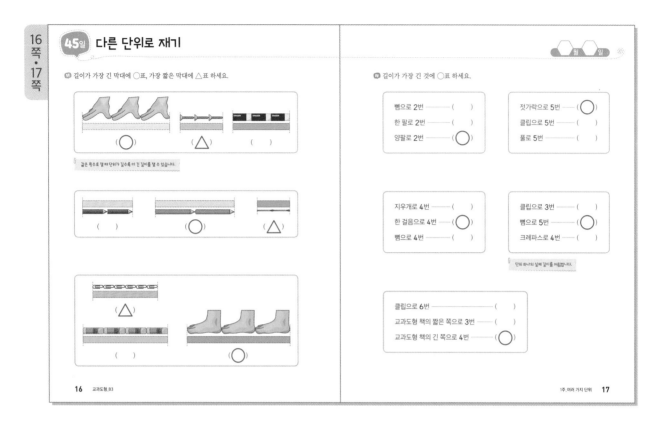

16쪽 · 17쪽

① 길이가 가장 긴 막대에 ○표, 가장 짧은 막대에 △표 하세요.

(○)　　(△)　　( )

같은 횟수로 잴 때 단위가 길수록 더 긴 길이를 잴 수 있습니다.

( )　　(○)　　(△)

(△)

( )　　(○)

② 길이가 가장 긴 것에 ○표 하세요.

뼘으로 2번 ── ( )　　젓가락으로 5번 ── (○)
한 팔로 2번 ── ( )　　클립으로 5번 ── ( )
양팔로 2번 ── (○)　　풀로 5번 ── ( )

지우개로 4번 ── ( )　　클립으로 3번 ── ( )
한 걸음으로 4번 ── (○)　　뼘으로 5번 ── (○)
뼘으로 4번 ── ( )　　크레파스로 4번 ── ( )

단위 하나의 실제 길이를 어림합니다.

클립으로 6번 ── ( )
교과도형 책의 짧은 쪽으로 3번 ── ( )
교과도형 책의 긴 쪽으로 4번 ── (○)

16　교과도형_B3

---

③ 물음에 답하세요.

민지와 연수가 뼘으로 책상 긴 쪽의 길이를 재었습니다. 한 뼘의 길이가 더 긴 사람은 누구일까요?

책상 긴 쪽의 길이

민지의 뼘	연수의 뼘
10번	9번

(연수)

한 뼘이 길수록 더 적은 횟수로 길이를 잴 수 있습니다.

수호, 다희, 인규가 각자 가진 연필로 줄넘기의 길이를 재었습니다. 가장 짧은 연필을 가지고 있는 사람은 누구일까요?

줄넘기의 길이

수호의 연필	다희의 연필	인규의 연필
8번	13번	11번

(다희)

연필이 짧을수록 더 많은 횟수로 길이를 재야 합니다.

18　교과도형_B3

4　교과도형_B3

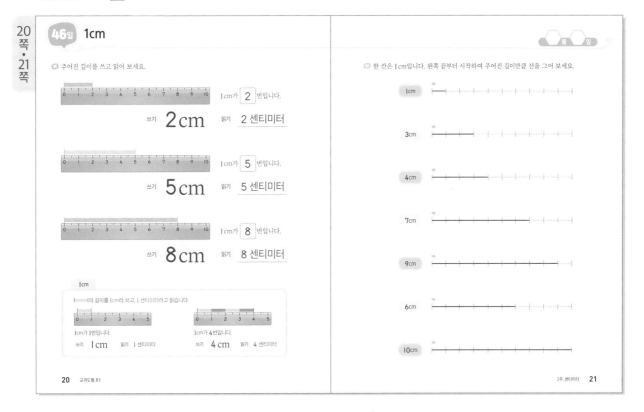

46일 1cm

주어진 길이를 쓰고 읽어 보세요.

1cm가 **2** 번입니다.

쓰기 **2cm** 읽기 2 센티미터

1cm가 **5** 번입니다.

쓰기 **5cm** 읽기 5 센티미터

1cm가 **8** 번입니다.

쓰기 **8cm** 읽기 8 센티미터

1cm

의 길이를 1cm라 쓰고, 1센티미터라고 읽습니다.

1cm가 1번입니다.

쓰기 1cm 읽기 1 센티미터

1cm가 4번입니다.

쓰기 4cm 읽기 4 센티미터

한 칸은 1cm입니다. 왼쪽 끝부터 시작하여 주어진 길이만큼 선을 그어 보세요.

1cm
3cm
4cm
7cm
9cm
6cm
10cm

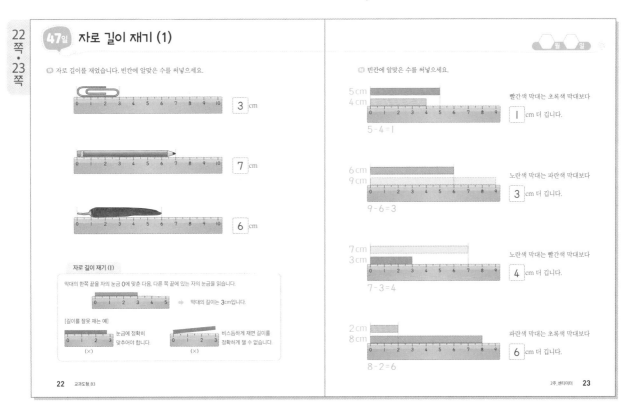

47일 자로 길이 재기 (1)

자로 길이를 재었습니다. 빈칸에 알맞은 수를 써넣으세요.

3 cm

7 cm

6 cm

자로 길이 재기 (1)

막대의 한쪽 끝을 자의 눈금 0에 맞춘 다음, 다른 쪽 끝에 있는 자의 눈금을 읽습니다.

막대의 길이는 3cm입니다.

[길이를 잘못 재는 예]

눈금에 정확히 맞추어야 합니다.

(×)

비스듬하게 재면 길이를 정확하게 잴 수 없습니다.

(×)

빈칸에 알맞은 수를 써넣으세요.

5 cm
4 cm

빨간색 막대는 초록색 막대보다 **1** cm 더 깁니다.

5 - 4 = 1

6 cm
9 cm

노란색 막대는 파란색 막대보다 **3** cm 더 깁니다.

9 - 6 = 3

7 cm
3 cm

노란색 막대는 빨간색 막대보다 **4** cm 더 깁니다.

7 - 3 = 4

2 cm
8 cm

파란색 막대는 초록색 막대보다 **6** cm 더 깁니다.

8 - 2 = 6

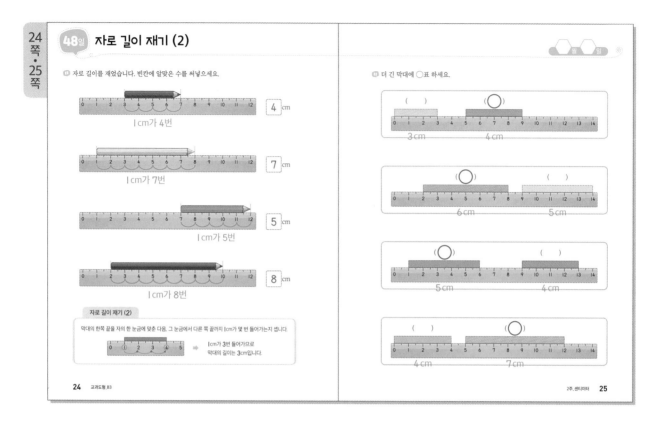

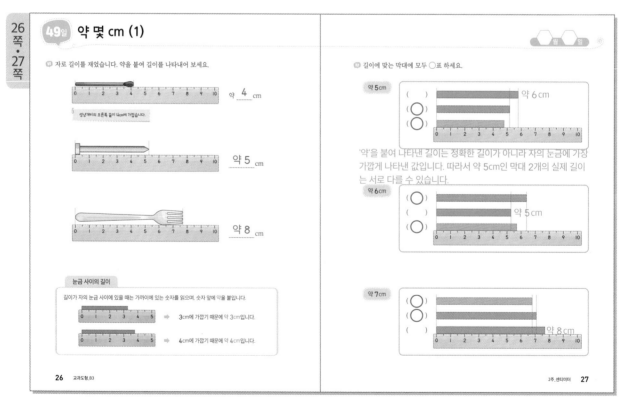

50일 약 몇 cm (2)

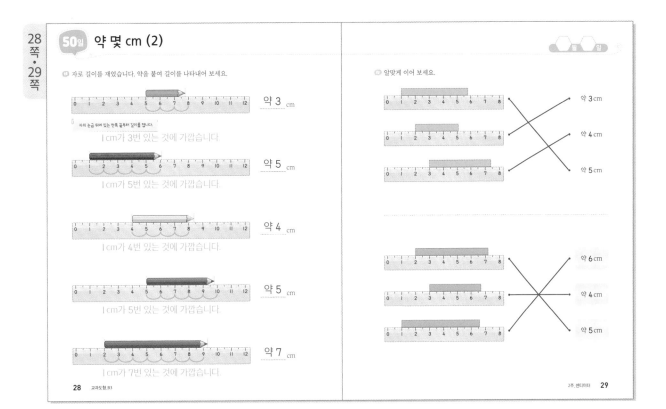

자로 길이를 재었습니다. 약을 붙여 길이를 나타내어 보세요.

약 3 cm

자의 눈금 위에 있는 한쪽 끝부터 길이를 잽니다.

1cm가 3번 있는 것에 가깝습니다.

약 5 cm

1cm가 5번 있는 것에 가깝습니다.

약 4 cm

1cm가 4번 있는 것에 가깝습니다.

약 5 cm

1cm가 5번 있는 것에 가깝습니다.

약 7 cm

1cm가 7번 있는 것에 가깝습니다.

알맞게 이어 보세요.

약 3 cm
약 4 cm
약 5 cm

약 6 cm
약 4 cm
약 5 cm

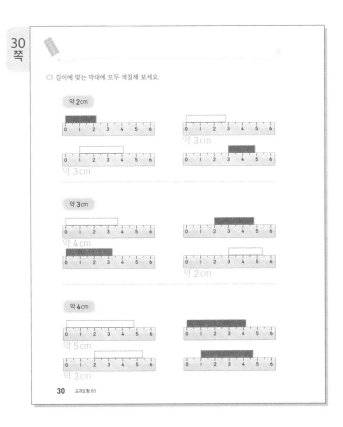

길이에 맞는 막대에 모두 색칠해 보세요.

약 2 cm

약 3 cm

약 3 cm

약 3 cm

약 4 cm

약 2 cm

약 4 cm

약 5 cm

약 3 cm

정답

3주차 길이 구하기

51일 연결된 막대의 길이

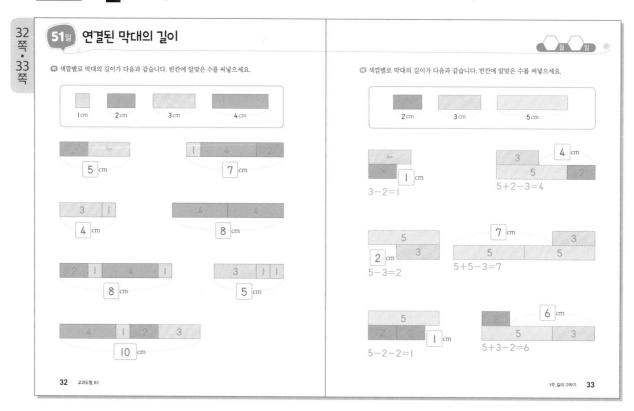

색깔별로 막대의 길이가 다음과 같습니다. 빈칸에 알맞은 수를 써넣으세요.

1cm 2cm 3cm 4cm

5 cm

1 4 2 → 7 cm

3 1 → 4 cm

4 4 → 8 cm

2 1 4 1 → 8 cm

3 1 1 → 5 cm

4 1 2 3 → 10 cm

색깔별로 막대의 길이가 다음과 같습니다. 빈칸에 알맞은 수를 써넣으세요.

2cm 3cm 5cm

1 cm
3-2=1

3 4 cm
5 2
5+2-3=4

2 cm
5-3=2

7 cm
5 5
5+5-3=7

5
2 2 1 cm
5-2-2=1

6 cm
2 5 3
5+3-2=6

52일 막대 연결하기

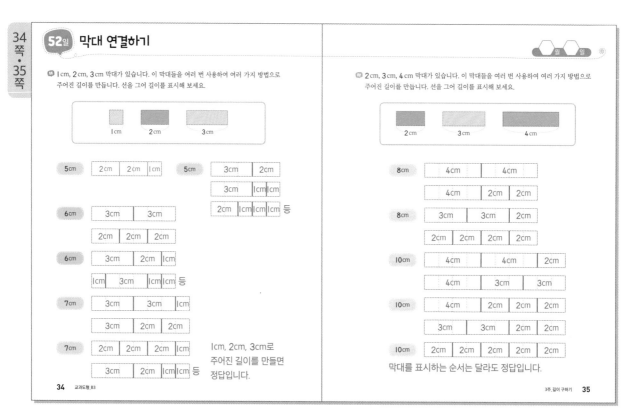

1cm, 2cm, 3cm 막대가 있습니다. 이 막대들을 여러 번 사용하여 여러 가지 방법으로 주어진 길이를 만듭니다. 선을 그어 길이를 표시해 보세요.

1cm 2cm 3cm

5cm | 2cm | 2cm | 1cm |

5cm | 3cm | 2cm |
| 3cm | 1cm|1cm |
| 2cm | 1cm|1cm|1cm | 등

6cm | 3cm | 3cm |
| 2cm | 2cm | 2cm |

6cm | 3cm | 2cm | 1cm |
| 1cm | 3cm | 1cm|1cm | 등

7cm | 3cm | 2cm | 2cm |
| 3cm | 2cm | 2cm |

7cm | 2cm | 2cm | 2cm | 1cm |
| 3cm | 2cm | 1cm|1cm | 등

1cm, 2cm, 3cm로 주어진 길이를 만들면 정답입니다.

2cm, 3cm, 4cm 막대가 있습니다. 이 막대들을 여러 번 사용하여 여러 가지 방법으로 주어진 길이를 만듭니다. 선을 그어 길이를 표시해 보세요.

2cm 3cm 4cm

8cm | 4cm | 4cm |
| 4cm | 2cm | 2cm |

8cm | 3cm | 3cm | 2cm |
| 2cm | 2cm | 2cm | 2cm |

10cm | 4cm | 4cm | 2cm |
| 4cm | 3cm | 3cm |

10cm | 4cm | 2cm | 2cm | 2cm |
| 3cm | 3cm | 2cm | 2cm |

10cm | 2cm | 2cm | 2cm | 2cm | 2cm |

막대를 표시하는 순서는 달라도 정답입니다.

53일 1cm 격자판

한 칸이 1cm인 격자판에 물건을 놓았습니다. 빈칸에 알맞은 수를 써넣으세요.

한 칸이 1cm인 격자판에 막대를 놓았습니다. 물음에 답하세요.

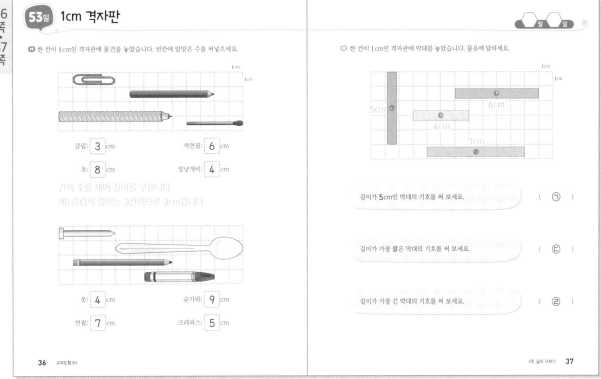

클립: 3 cm

색연필: 6 cm

초: 8 cm

성냥개비: 4 cm

칸의 수를 세어 길이를 구합니다.

예) 클립의 길이는 3칸이므로 3cm입니다.

못: 4 cm

숟가락: 9 cm

연필: 7 cm

크레파스: 5 cm

길이가 5cm인 막대의 기호를 써 보세요. (㉠)

길이가 가장 짧은 막대의 기호를 써 보세요. (㉢)

길이가 가장 긴 막대의 기호를 써 보세요. (㉣)

54일 꺾인 선의 길이

한 칸이 1cm인 격자판을 달팽이가 빨간색 선을 따라 이동했습니다. 달팽이가 이동한 선의 길이를 구해 보세요.

한 칸이 1cm인 격자판입니다. 가장 긴 선부터 차례로 기호를 써 보세요.

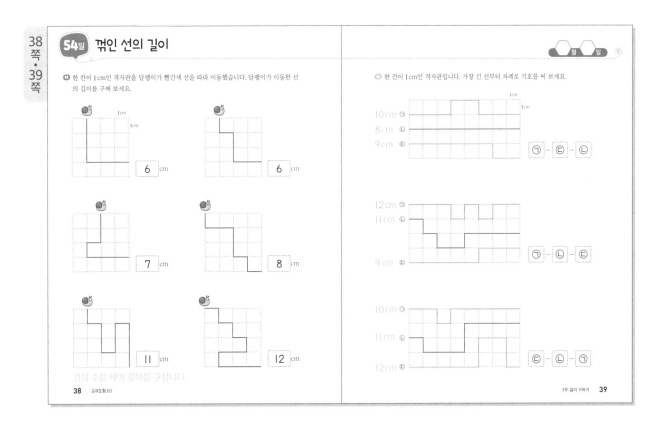

6 cm

6 cm

7 cm

8 cm

11 cm

12 cm

칸의 수를 세어 길이를 구합니다.

10 cm ㉠
8 cm ㉡
9 cm ㉢

㉠ - ㉢ - ㉡

12 cm ㉠
11 cm ㉡
9 cm ㉢

㉠ - ㉡ - ㉢

10 cm ㉠
11 cm ㉡
12 cm ㉢

㉢ - ㉡ - ㉠

55일 길이만큼 긋기

한 칸이 1cm인 격자판에 출발부터 주어진 방향과 길이만큼 순서대로 선을 그어 보세요.

① 아래쪽으로 2cm
② 오른쪽으로 5cm
③ 위쪽으로 2cm

① 오른쪽으로 4cm
② 위쪽으로 3cm
③ 왼쪽으로 4cm
④ 아래쪽으로 3cm

① 아래쪽으로 1cm
② 왼쪽으로 5cm
③ 위쪽으로 3cm
④ 오른쪽으로 3cm
⑤ 아래쪽으로 2cm

한 칸이 1cm인 격자판에 출발부터 주어진 방향과 길이만큼 순서대로 선을 그어 보세요.

① 오른쪽으로 4cm
② 아래쪽으로 4cm
③ 왼쪽으로 2cm
④ 위쪽으로 1cm
⑤ 왼쪽으로 2cm
⑥ 위쪽으로 3cm

① 왼쪽으로 2cm
② 아래쪽으로 2cm
③ 왼쪽으로 4cm
④ 아래쪽으로 2cm
⑤ 오른쪽으로 6cm
⑥ 위쪽으로 4cm

한 칸이 1cm인 격자판에 출발부터 주어진 순서대로 선을 그었습니다. 빈칸에 알맞은 말 또는 수를 써넣으세요.

① 오른쪽으로 5cm
② 위쪽으로 3 cm
③ 왼쪽으로 3cm
④ 아래쪽 으로 2cm
⑤ 왼쪽으로 2 cm
⑥ 아래쪽으로 1cm

① 위쪽으로 2 cm
② 오른쪽 으로 4cm
③ 위쪽으로 3cm
④ 왼쪽 으로 6cm
⑤ 아래쪽으로 5 cm
⑥ 오른쪽으로 2cm

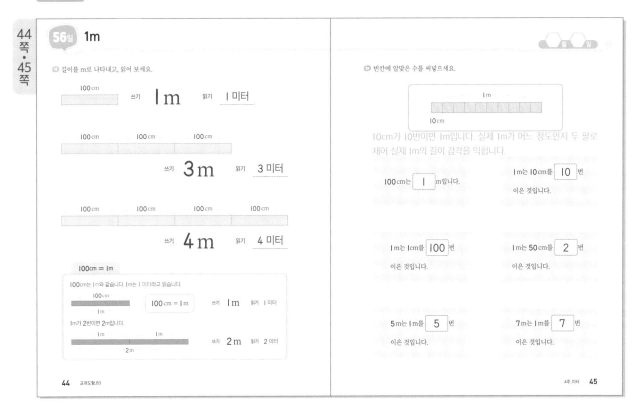

56일 1m

길이를 m로 나타내고, 읽어 보세요.

100 cm
쓰기 **1m** 읽기 1 미터

100 cm 100 cm 100 cm
쓰기 **3m** 읽기 3 미터

100 cm 100 cm 100 cm 100 cm
쓰기 **4m** 읽기 4 미터

100 cm = 1m

100cm는 1m와 같습니다. 1m는 1 미터라고 읽습니다.
100 cm
100 cm = 1 m 쓰기 1m 읽기 1 미터
1 m
1m가 2번이면 2m입니다.
1 m
쓰기 2m 읽기 2 미터
2 m

빈칸에 알맞은 수를 써넣으세요.

1 m
10 cm

10cm가 10번이면 1m입니다. 실제 1m가 어느 정도인지 두 팔로 재어 실제 1m의 길이 감각을 익힙니다.

100 cm는 1 m입니다.
1m는 10cm를 10 번 이은 것입니다.

1m는 1cm를 100 번 이은 것입니다.
1m는 50cm를 2 번 이은 것입니다.

5m는 1m를 5 번 이은 것입니다.
7m는 1m를 7 번 이은 것입니다.

44 교과도형_B3 4주_미터 45

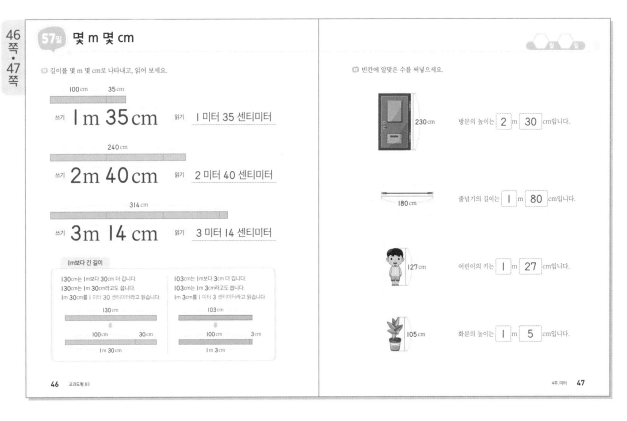

57일 몇 m 몇 cm

길이를 몇 m 몇 cm로 나타내고, 읽어 보세요.

100 cm 35 cm
쓰기 **1m 35cm** 읽기 1 미터 35 센티미터

240 cm
쓰기 **2m 40cm** 읽기 2 미터 40 센티미터

314 cm
쓰기 **3m 14cm** 읽기 3 미터 14 센티미터

1m보다 긴 길이

130cm는 1m보다 30cm 더 깁니다.
130cm는 1m 30cm라고도 씁니다.
1m 30cm를 1 미터 30 센티미터라고 읽습니다.
130 cm
↓
100 cm 30 cm
1m 30cm

103cm는 1m보다 3cm 더 깁니다.
103cm는 1m 3cm라고도 씁니다.
1m 3cm를 1 미터 3 센티미터라고 읽습니다.
103 cm
↓
100 cm 3cm
1m 3cm

빈칸에 알맞은 수를 써넣으세요.

230cm 방문의 높이는 2 m 30 cm입니다.

180cm 줄넘기의 길이는 1 m 80 cm입니다.

127cm 어린이의 키는 1 m 27 cm입니다.

105cm 화분의 높이는 1 m 5 cm입니다.

46 교과도형_B3 4주_미터 47

정답 **11**

58일 두 가지로 나타내기

빈칸에 알맞은 수를 써넣으세요.

1 m = 100 cm

170 cm = 1 m 70 cm

4 m = 400 cm

315 cm = 3 m 15 cm

1 m 50 cm = 150 cm

501 cm = 5 m 1 cm

2 m 42 cm = 242 cm

230 cm = 2 m 30 cm

5 m 8 cm = 508 cm

972 cm = 9 m 72 cm

3 m 90 cm = 390 cm

407 cm = 4 m 7 cm

7 m 5 cm = 705 cm

199 cm = 1 m 99 cm

48 교과도형_B3

같은 길이를 찾아 이어 보세요.

1 m 50 cm — 150 cm
1 m 5 cm — 105 cm
1 m 35 cm — 135 cm

332 cm — 3 m 32 cm
323 cm — 3 m 23 cm
320 cm — 3 m 20 cm

4 m 77 cm — 477 cm
4 m 70 cm — 470 cm
4 m 7 cm — 407 cm

59일 cm와 m

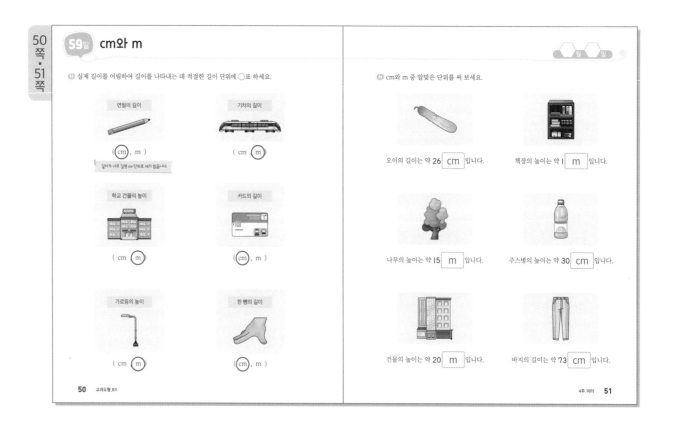

실제 길이를 어림하여 길이를 나타내는 데 적절한 길이 단위에 ○표 하세요.

연필의 길이
(cm , m)
길이가 너무 길면 cm 단위로 재기 힘듭니다.

기차의 길이
(cm , m)

학교 건물의 높이
(cm , m)

카드의 길이
(cm , m)

가로등의 높이
(cm , m)

한 뼘의 길이
(cm , m)

50 교과도형_B3

cm와 m 중 알맞은 단위를 써 보세요.

오이의 길이는 약 26 cm 입니다.

책장의 높이는 약 1 m 입니다.

나무의 높이는 약 15 m 입니다.

주스병의 높이는 약 30 cm 입니다.

건물의 높이는 약 20 m 입니다.

바지의 길이는 약 73 cm 입니다.

60일 가장 긴 길이

가장 긴 길이에 ○표, 가장 짧은 길이에 △표 하세요.

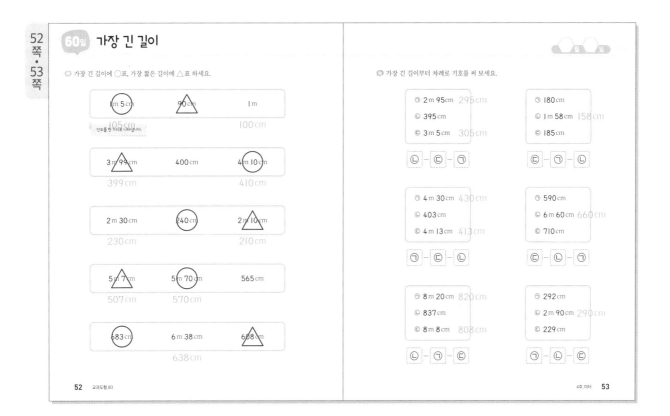

가장 긴 길이부터 차례로 기호를 써 보세요.

○ 2 m 95 cm 295 cm	○ 180 cm
○ 395 cm	○ 1 m 58 cm 158 cm
○ 3 m 5 cm 305 cm	○ 185 cm

ⓛ – ⓒ – ㉠   ⓒ – ㉠ – ⓛ

○ 4 m 30 cm 430 cm	○ 590 cm
○ 403 cm	○ 6 m 60 cm 660 cm
○ 4 m 13 cm 413 cm	○ 710 cm

㉠ – ⓒ – ⓛ   ⓒ – ⓛ – ㉠

○ 8 m 20 cm 820 cm	○ 292 cm
○ 837 cm	○ 2 m 90 cm 290 cm
○ 8 m 8 cm 808 cm	○ 229 cm

ⓛ – ㉠ – ⓒ   ㉠ – ⓛ – ⓒ

물음에 답하세요.

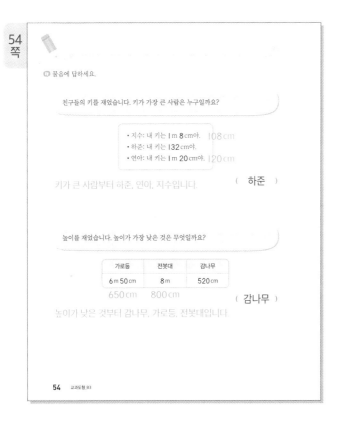

친구들의 키를 재었습니다. 키가 가장 큰 사람은 누구일까요?

- 지수: 내 키는 1 m 8 cm야. 108 cm
- 하준: 내 키는 132 cm야.
- 연아: 내 키는 1 m 20 cm야. 120 cm

키가 큰 사람부터 하준, 연아, 지수입니다.

(하준)

높이를 재었습니다. 높이가 가장 낮은 것은 무엇일까요?

가로등	전봇대	감나무
6 m 50 cm	8 m	520 cm
650 cm	800 cm	

(감나무)

높이가 낮은 것부터 감나무, 가로등, 전봇대입니다.

도형플러스+ 어림하기

PLUS 1 cm 어림하기

월 일

▶ 자를 이용하지 않고 막대의 길이를 어림해 보세요.

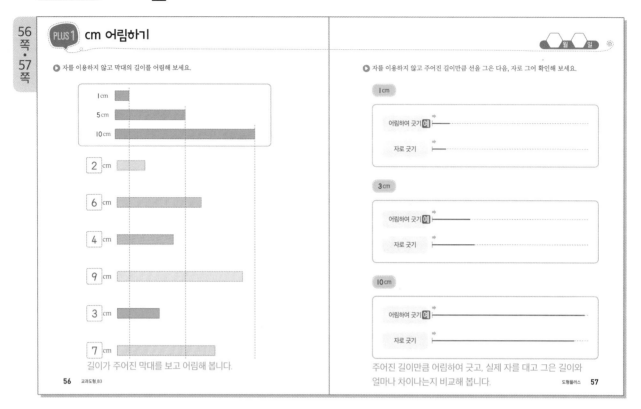

1 cm
5 cm
10 cm

2 cm
6 cm
4 cm
9 cm
3 cm
7 cm

길이가 주어진 막대를 보고 어림해 봅니다.

▶ 자를 이용하지 않고 주어진 길이만큼 선을 그은 다음, 자로 그어 확인해 보세요.

1 cm

어림하여 긋기 예

자로 긋기

3 cm

어림하여 긋기 예

자로 긋기

10 cm

어림하여 긋기 예

자로 긋기

주어진 길이만큼 어림하여 긋고, 실제 자를 대고 그은 길이와 얼마나 차이나는지 비교해 봅니다.

PLUS 2 실제 길이에 가까운 것

월 일

▶ 실제 길이에 가까운 것을 찾아 이어 보세요.

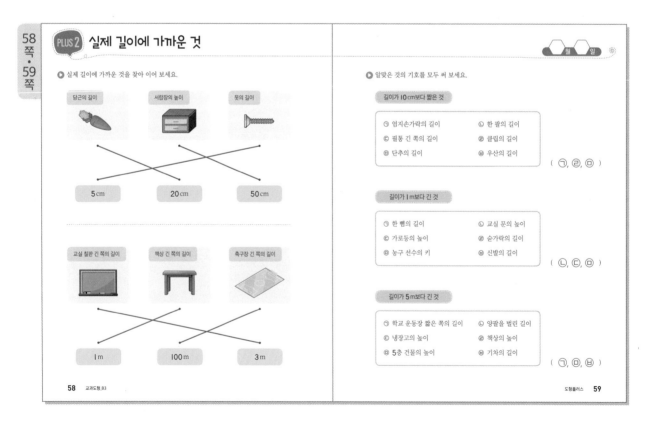

당근의 길이   서랍장의 높이   못의 길이

5 cm   20 cm   50 cm

교실 칠판 긴 쪽의 길이   책상 긴 쪽의 길이   축구장 긴 쪽의 길이

1 m   100 m   3 m

▶ 알맞은 것의 기호를 모두 써 보세요.

길이가 10 cm보다 짧은 것

㉠ 엄지손가락의 길이   ㉡ 한 팔의 길이
㉢ 필통 긴 쪽의 길이   ㉣ 클립의 길이
㉤ 단추의 길이   ㉥ 우산의 길이

(㉠, ㉣, ㉤)

길이가 1 m보다 긴 것

㉠ 한 뼘의 길이   ㉡ 교실 문의 높이
㉢ 가로등의 높이   ㉣ 숟가락의 길이
㉤ 농구 선수의 키   ㉥ 신발의 길이

(㉡, ㉢, ㉤)

길이가 5 m보다 긴 것

㉠ 학교 운동장 짧은 쪽의 길이   ㉡ 양팔을 벌린 길이
㉢ 냉장고의 높이   ㉣ 책상의 높이
㉤ 5층 건물의 높이   ㉥ 기차의 길이

(㉠, ㉤, ㉥)

PLUS 3 문장 완성하기

▶ 빈칸에 알맞은 수를 써넣으세요.

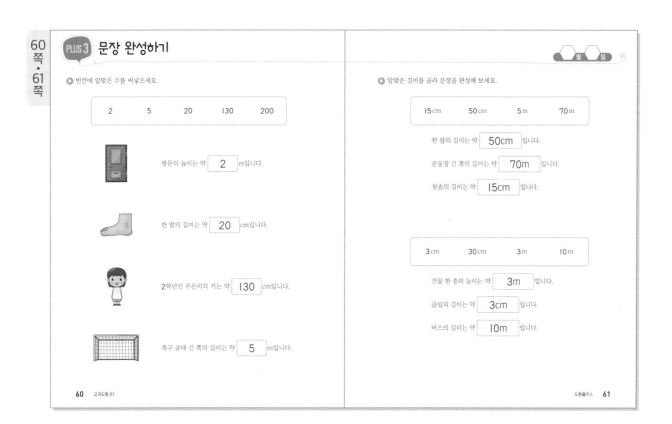

| 2 | 5 | 20 | 130 | 200 |

방문의 높이는 약 **2** m입니다.

한 발의 길이는 약 **20** cm입니다.

2학년인 주은이의 키는 약 **130** cm입니다.

축구 골대 긴 쪽의 길이는 약 **5** m입니다.

▶ 알맞은 길이를 골라 문장을 완성해 보세요.

| 15cm | 50cm | 5m | 70m |

한 팔의 길이는 약 **50cm** 입니다.

운동장 긴 쪽의 길이는 약 **70m** 입니다.

칫솔의 길이는 약 **15cm** 입니다.

| 3cm | 30cm | 3m | 10m |

건물 한 층의 높이는 약 **3m** 입니다.

클립의 길이는 약 **3cm** 입니다.

버스의 길이는 약 **10m** 입니다.

정답

형성평가 1회

맞힌 문항 수: ____ 문항 / 6문항

1 연필의 길이는 클립으로 몇 번일까요?

클립으로 (5)번

2 막대의 길이는 몇 cm일까요?

1cm가 6번

(6)cm

3 길이에 맞는 막대에 ○표 하세요.

약 4cm

(○)

약 5 cm

( )

4 실제 길이를 어림하여 cm와 m 중 알맞은 단위를 써 보세요.

한 팔의 길이는 약 50 cm 입니다.

기린의 키는 약 5 m 입니다.

5 한 칸이 1cm인 격자판에 빨간색 선으로 사각형을 그렸습니다. 사각형을 그린 선은 몇 cm일까요?

(14)cm

6 준우가 뼘으로 물건의 길이를 재었습니다. 우산은 8뼘, 허리띠는 9뼘이라면 우산과 허리띠 중 더 긴 것은 무엇일까요?

(허리띠)

똑같은 뼘으로 재었으므로 더 많은 횟수로 잰 허리띠가 더 깁니다.

형성평가 2회

맞힌 문항 수: ____ 문항 / 6문항

1 색연필의 길이는 몇 cm일까요?

(7)cm

2 빈칸에 알맞은 수를 써넣으세요.

2m 10cm = 210 cm

128cm = 1 m 28 cm

3m 9cm = 309 cm

550cm = 5 m 50 cm

3 한 칸이 1cm인 격자판에 물건을 놓았습니다. 길이가 가장 짧은 것은 무엇이고, 몇 cm일까요?

연필
못
크레파스

(크레파스),(4)cm

4 알맞게 이어 보세요.

약 5cm
약 6cm
약 4cm

5 가장 긴 길이부터 차례로 기호를 써 보세요.

㉠ 1m 7cm   ㉡ 170cm   ㉢ 90cm

107cm

(㉡ , ㉠ , ㉢)

6 세희와 지후가 각자 지우개로 똑같은 필통의 길이를 재었습니다. 세희의 지우개로 7번, 지후의 지우개로 5번이라면 세희와 지후 중 더 긴 지우개를 가진 사람은 누구일까요?

(지후)

지우개가 길수록 더 적은 횟수로 길이를 잴 수 있습니다.

"한 권이면 충분합니다."

도형을 다양한 문장과 그림,
수식으로 표현합니다.

감각
sense

도형 학습의 바탕이 되는
공간감각을 길러줍니다.

표현
expression

측정
measurement

측정을 더하여
도형 학습을 완성합니다.